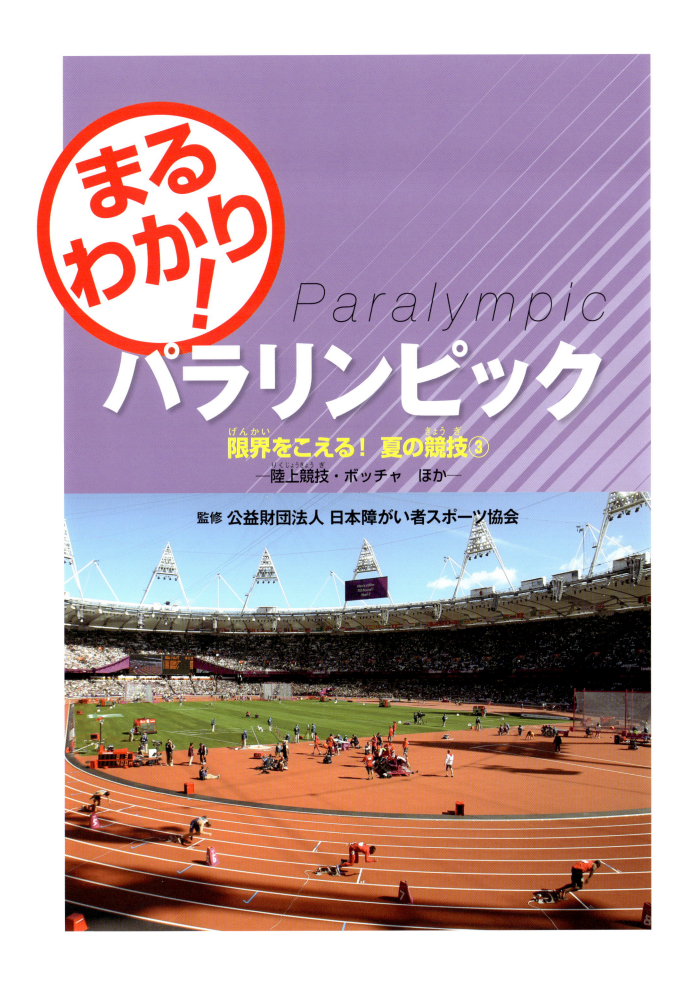

限界をこえる！
夏の8競技

種目数がもっとも多い花形競技！
陸上競技

みごとな反射神経でボールを打ち返す！
卓球

全力で技をかけあう！
柔道

遠くの的にねらいを定めて矢を放つ！
アーチェリー

もてる力を出し切りボールをあやつる！
ボッチャ

直径0.5mmのマークをうちぬく！
射撃（しゃげき）

人間と馬がいっしょに演技する！
馬術(ばじゅつ)

筋力(きんりょく)を使い、バーベルを持ち上げる！
パワーリフティング

はじめに

　みなさんは、「パラリンピック」を知っていますか。パラリンピックは4年に一度、オリンピックと同じ年に、オリンピックと同じ都市でおこなわれる障がい者スポーツの国際大会です。パラリンピックということばには、「もうひとつのオリンピック」という意味がこめられています。

　パラリンピックに出場するのは、障がいのあるトップアスリートたちです。目が見えにくい、自分の足で歩くことが難しい、手足を切断しているなど、障がいの種類や程度はひとりひとりちがいますが、用具やルールをくふうして公平に競い合います。

　第1回パラリンピックは、今から50年以上前の1960年に開催されました。当時は、車いすの選手に限定された大会でしたが、その後、そのほかの障がいの選手も出場が認められるようになり、競技も多様化していきました。また、競技全体のレベルも年々レベルアップしてきています。

　『まるわかり！パラリンピック』では、パラリンピックのあゆみや選手たちの活躍、各競技のルールや競技に使われる用具などについて、くわしくまとめてあります。また、選手・スタッフ11名のものがたりも掲載しています。
「世界で活躍している日本人選手がこんなにたくさんいるんだ」
「選手たちの持っている能力を活かした、こんな迫力ある競技があるんだ」
　このシリーズを読んではじめて知ることがたくさんあると思います。
　本を読み終えたら、ぜひ、実際の競技を見てみてください。選手たちが限界をこえる瞬間に立ち会ってみてください。障がい者スポーツの大会は全国各地でおこなわれています。また、インターネットに動画が公開されている競技もあります。そして、4年に一度、パラリンピックの開催年になったら、自分の目でパラリンピックを見てみてください。そこには、みなさんの期待以上に楽しくて感動的な世界が広がっているはずです。

公益財団法人　日本障がい者スポーツ協会

まるわかり！パラリンピック
限界をこえる！夏の競技③
―陸上競技・ボッチャ　ほか―

- 限界をこえる！　夏の8競技 ……… 2
- はじめに ……… 8
- 陸上競技 ……… 12

もっと知りたい！
- パラリンピックのリレーでは バトンを使わない!? ……… 18

- 卓球 ……… 19
- 柔道 ……… 22
- アーチェリー ……… 26
- ボッチャ ……… 30

- 射撃 ……… 34
- 馬術 ……… 36
- パワーリフティング ……… 38

パラリンピック選手ものがたり

陸上競技（走り幅跳び）
佐藤真海選手………… 40

パラリンピックを支える人のものがたり

義肢装具士
臼井二美男さん………… 43

さくいん………… 46

この本の使い方

　パラリンピック（Paralympic）は、4年に一度、オリンピックの終了後にオリンピックの開催都市でおこなわれる、「もうひとつの（Parallel）オリンピック（Olympic）」です。パラリンピックに出場できるのは、厳しい条件をクリアしたトップクラスの選手だけです。

　この本では、パラリンピックについて理解を深めるために、パラリンピックの歴史や競技、記録などについて、わかりやすく解説しています。

- 本文中で（○ページ参照）と書かれたことがらについては、その先のページでよりくわしく説明しています。
- この本で取り上げている情報は、2015年1月現在のものです。
- 調べたいことがらの掲載ページがわからなかったり、気になることがらがあったら、巻末のさくいんを引いてみましょう。さくいんは、50音順にならんでいます。
- 各競技名は、基本的に日本パラリンピック委員会の定める公式の表記にそろえています。
- 夏季パラリンピックの開催年、開催地については、右の表を参考にしてください。

●夏季パラリンピック

回数	年	開催地
第1回	1960年	ローマ（イタリア）
第2回	1964年	東京（日本）
第3回	1968年	テルアビブ（イスラエル）
第4回	1972年	ハイデルベルグ（旧西ドイツ）
第5回	1976年	トロント（カナダ）
第6回	1980年	アーネム（オランダ）
第7回	1984年	ニューヨーク（アメリカ） エイルズベリー（イギリス）
第8回	1988年	ソウル（大韓民国）
第9回	1992年	バルセロナ（スペイン）
第10回	1996年	アトランタ（アメリカ）
第11回	2000年	シドニー（オーストラリア）
第12回	2004年	アテネ（ギリシャ）
第13回	2008年	北京（中華人民共和国）
第14回	2012年	ロンドン（イギリス）
第15回	2016年	リオデジャネイロ（ブラジル）
第16回	2020年	東京（日本）

Athletics
陸上競技

みどころ! 陸上競技は、夏の競技のなかでもとくに華やかで、人気のあるスポーツのひとつです。競技のスピード感や躍動感は、オリンピックの選手に勝るともおとりません。

▲車いす種目で、アテネパラリンピックから3大会連続でパラリンピックに出場している伊藤智也選手。ロンドンパラリンピックでは3種目で銀メダルを獲得した。※

種目数がもっとも多いパラリンピックの花形競技

　陸上競技は、1960年の第1回パラリンピックからおこなわれている歴史ある競技です。

　陸上競技には、100メートル走やリレーなどのように競技場の「トラック（15ページ参照）」でおこなわれる種目、走り幅跳びや砲丸投げなどのように「フィールド（15ページ参照）」でおこなわれる種目、「ロード（競技場の外）」でおこなわれるマラソンがあります。

　ロンドンパラリンピック（第14回夏季大会）では、トラック種目は男女合わせて15種目、フィールド種目は男女合わせて12種目、それに男女のマラソンと、全部で29もの種目がおこなわれました。種目数や参加選手が多く、パラリンピックの花形ともいえる競技です。

※2015年1月現在のルールでは、車いす種目の選手はヘルメットを着用して競技することが義務づけられています。

次つぎにぬりかえられる
パラリンピックの最高記録

近年では競技のレベルがどんどん上がり、大会ごとに最高記録がぬりかえられることもめずらしくありません。

ロンドンパラリンピック（第14回夏季大会）に出場したアイルランドのジェイソン・スミス選手（視覚障がい）は、100メートル走で10秒46、200メートル走で21秒05のタイムをたたき出し、ふたつの種目で金メダルを獲得しました。彼は、北京パラリンピック（第13回夏季大会）でも100メートル走（10秒62）、200メートル走（21秒43）でそれぞれ金メダルを獲得していますが、ロンドンパラリンピックでは北京パラリンピックの記録をぬりかえ、新たな世界記録を樹立しました。

▼砲丸投げのようす。補助具を用いて下半身を支えている。

▲走り高跳びにいどむ鈴木徹選手。ロンドンパラリンピックでは4位入賞を果たした。

▲義手をつけ、やり投げにいどむ女子選手。

世界の舞台で活躍する
日本代表選手たち

陸上競技には、日本からも毎回、数十人の選手が出場し、さまざまな種目でメダリストや入賞者が誕生しています。

日本は特に、車いす種目で好成績を残しています。なかでも伊藤智也選手は、北京、ロンドン両大会を通じ、200メートル走、400メートル走、800メートル走で2個の金メダルと3個の銀メダルを獲得しました。

また、走り高跳びの鈴木徹選手は、世界でも数少ない2メートルをこえる記録※を持つ選手のひとりです。北京パラリンピックでは5位、ロンドンパラリンピックでは4位に入賞しました。

※「2006ジャパンパラ陸上競技大会」で2メートル00を記録。日本記録の保持者でもある。

陸上競技

ルール & 用具編

● パラリンピックに参加できる障がい

肢体不自由：車いす／立位（低身長・切断など）／脳性まひ
視覚障がい
知的障がい

基本のルール

すべての種目がクラスごとにおこなわれる

ロンドンパラリンピック（第14回夏季大会）では29の種目が実施された陸上競技ですが、各種目は、選手たちを障がいの種類や程度によってクラス分けしたうえで、クラスごとにおこないます。細かいクラス分けをすることで、同じ競技能力をもつ選手どうしが、公平にたたかうことができる環境が整えられているのです。知的障がいの選手は、2012年のロンドンパラリンピックから出場が認められるようになりました。

● 陸上競技のクラス分け ●

クラス	障がいの種類・程度	クラス	障がいの種類・程度
11	視覚障がい（重い→軽い）	40	低身長
12		41	
13		42	下肢切断など
20	知的障がい	43	
31	脳性まひ（車いす）（重い→軽い）	44	
32		45	上肢切断など
33		46	
34		51	脳性まひ以外の車いす選手（重い→軽い）
35	脳性まひ（立位）（重い→軽い）	52	
36		53	
37		54	
38		55	
		56	
		57	
		58	

● 競技の分類と種目 ●

ロンドンパラリンピックでは、次の29種目が実施されました。

	男子	女子
トラック（15種目）	①100m ②200m ③400m ④800m ⑤1500m ⑥5000m ⑦4×100m（リレー）⑧4×400m（リレー）	①100m ②200m ③400m ④800m ⑤1500m ⑥5000m ⑦4×100m（リレー）
フィールド（12種目）	①砲丸投げ ②円盤投げ ③やり投げ ④こん棒投げ ⑤走り幅跳び ⑥走り高跳び ⑦三段跳び	①砲丸投げ ②円盤投げ ③やり投げ ④こん棒投げ ⑤走り幅跳び
ロード（2種目）	マラソン	マラソン

クラス分けをおこなうときは、トラック・ロードでおこなう種目は「T」、フィールドでおこなう種目は「T」あるいは「F」のアルファベットで分類しているよ。※例えば、100メートル走に出場する全盲（視覚障がいの程度がもっとも重い）の選手の場合は、「T11」というクラスになるよ。

※フィールド種目では、跳躍種目（走り幅跳び、走り高跳び、三段跳び）を「T」、投てき種目（砲丸投げ、円盤投げ、やり投げ、こん棒投げ）を「F」と表記しています。

競技場と競技エリア

マラソン以外の種目は、陸上競技場でおこなわれます。それぞれの種目がおこなわれるエリアは、次のように分かれています。

円盤投げ・こん棒投げ

円盤投げ（写真左）は、直径20cmほどの円盤を投げ、距離を競う競技。こん棒投げ（写真右）は、パラリンピックならではの種目で、脳性まひや車いすの選手が40cmほどの長さのこん棒を投げて距離を競う。

走り幅跳び・三段跳び

走り幅跳び（写真左）のルールは健常者とほぼ同じだが、視覚障がいのクラスでは踏み切り板のかわりに踏み切り区域を設ける。三段跳び（写真右）はホップ・ステップ・ジャンプの3歩でとび、その距離を競う。

やり投げ

男子は長さ2.6〜2.7m、重さ600〜800g、女子は長さ2.2m、重さ600gのやりを投げ、距離を競う。

ロード

マラソン
場外に設けられた専用のコースを走る。ゴール地点が競技場内に設けられることもある。

トラック

フィールド

トラックでおこなわれる種目

男子は8種目、女子は7種目がおこなわれる（14ページ参照）。視覚障がいの一部のクラスでは、選手をサポートするガイドランナー（16ページ参照）がつくことを想定して、1人の選手に対して2レーンが与えられる。車いすリレーも2レーンを使用して競技する。

砲丸投げ

男子は直径11〜13cm、女子は直径9.5cmの砲丸を投げ、距離を競う。砲丸の重量は障がいによってことなる。

走り高跳び

切断、もしくはそれと同等の障がいの選手によっておこなわれる。より高いバーをとんだ順に順位がつけられる。

視覚障がいの選手をサポートする「ガイドランナー」と「コーラー」

　視覚障がいの一部のクラス（クラス11～12※）では、レースを安全かつ公平におこなうために、選手をサポートするアシスタントをつけることがあります。

　トラックでおこなう種目やマラソンの場合、「ガイドランナー」と呼ばれる伴走者と一緒に走ることが認められています。また、跳躍種目（走り幅跳び、三段跳び、走り高跳び）では、選手に周囲のようすを知らせる「コーラー」をつけることが認められています。コーラーは、声や音を使って競技をサポートします。

　また、クラス11の選手は、すべての種目でアイマスクまたはゴーグルを着用することが義務づけられています。

※視覚障がいの程度がもっとも軽いクラス13の選手は、ガイドランナーやコーラーをつけずに自力で競技します。

ガイドランナーにもメダルが授与される！？

　パラリンピックでは、ガイドランナーにも、選手と同じ色のメダルが授与されることになっています。ただし、ガイドランナーに授与できるメダルの数はひとつにかぎられているため、ガイドランナーを2人以上登録している場合※には、その対象にならないことがあります。

※5000m以上のレース、マラソンでは、ガイドランナーの交代が認められているため、ガイドランナーを2人以上登録する選手もいます。

●ガイドランナーの役割●

　たがいにロープやひもを持ち、ガイドランナーが走路を誘導することが認められています。

●コーラーの役割●

　コーラーが声かけや拍手などによって方向やふみきり地点を伝え、選手をサポートします。

陸上競技の用具

時速20キロメートル以上で疾走する陸上競技用の車いす「レーサー」

トラック種目やマラソンでは、「レーサー」と呼ばれる陸上競技専用の車いすを使用します。シートの左右、前にのびたフレームの先に計3個の車輪が取りつけられ、多くの選手は前かがみに正座するような体勢でシートにすわります。

マラソンの下り坂では、時速50キロメートルをこえるスピードが出ることもあるよ。

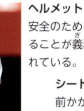

ヘルメット
安全のために着用することが義務づけられている。

シート
前かがみに腰かけることで、空気抵抗をおさえ、より速く走ることができるようになる。

ブレーキ
レバーをにぎってスピードを調節したり、止めたりする。

車輪（前輪）
空気を入れて直径50cm以内。

フレーム
軽くするために、中は空洞になっている。

車輪（後輪）
空気を入れて直径70cm以内。

ハンドリム
この部分を手でおしさげるようにまわして後輪を回転させ、前に進む。

反発力を生かした陸上競技用の義足や義手

陸上競技で使われる義足のなかには、「く」の字型をしているものがあります。このようなかたちにすることで義足に反発力がうまれ、筋肉にかわるはたらきをするのです。

また、手や腕を切断している選手は、義手を着用することが認められています。

最近の義肢の多くは、軽くてよくしなり、非常にじょうぶな「カーボンプラスチック」という材質でつくられているんだ。

トラック種目の選手が着用している「く」の字型の義足。裏には、スパイクが取りつけられている。

砲丸投げの選手の義足。くつをはかせることで左右のバランスを調整している。

義手。スタートのときや、走ったり投げたりするときにバランスをとる役割をはたす。

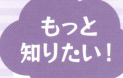

もっと知りたい！

パラリンピックのリレーではバトンを使わない！？

「リレー」ときくと、バトンをパスする光景が思いうかびますが、パラリンピックでは、バトンを使わない場合があります。

切断の選手が出場するクラスでは、義手などによりバトンを持つことができないメンバーがいることを考慮して、バトンのかわりに、体の一部にふれて次の走者につなぐことになっています。車いす選手のクラスでも、バトンを持ちながら競技することは難しいため、バトンを使用しません。

また、視覚障がいの選手が出場するクラスではバトンを使用しますが、バトンの受けわたしは選手とガイドランナーのどちらがおこなってもよいことになっています。

● 切断のクラスの場合

▲次の走者にタッチしてつなぐ。

● 視覚障がいのクラスの場合

▲選手から次のガイドランナーにバトンがわたされた。

Table Tennis
卓球

みどころ！ 車いすや切断、知的障がいなど、さまざまな障がいのある選手が出場します。選手たちはみごとな反射神経と瞬発力で、猛スピードで行き来するボールを打ち合います。

▲日本代表選手団の最年長選手としてロンドンパラリンピックに出場した別所キミヱ選手（右）。女子シングルスで5位入賞を果たした。

第1回パラリンピックからおこなわれている歴史ある競技

卓球は、1890年代のイギリスで、貴族が食事のあとに楽しんでいたゲームがもとになって生まれたスポーツといわれています。パラリンピックでは、1960年の第1回パラリンピックから正式競技として採用され、陸上競技とともに長い歴史をもっています。

パラリンピックに出場するには、世界ランキングの上位にランクインする必要があり、日本代表選手は国内大会や国際大会で実績を残し、出場権を獲得しています。なかでも別所キミヱ選手は、現在60歳をこえる年齢ながら、2004年のアテネパラリンピック（第12回夏季大会）から2012年のロンドンパラリンピック（第14回夏季大会）まで、3大会連続で出場し、2大会で入賞も果たしています。

卓球

ルール編

●パラリンピックに参加できる障がい

肢体不自由			視覚障がい	知的障がい
車いす	立位	脳性まひ		

基本のルール

知的障がいの選手も参加が認められる

パラリンピックの卓球では、試合はクラスごとにおこなわれます。2012年のロンドンパラリンピック（第14回夏季大会）では、知的障がいの選手の参加が認められ、全部で11のクラスが設けられました。

パラリンピックで競技するのは障がいのある選手ですが、試合のスピード感や迫力は健常者の卓球に負けていません。ときには時速100キロメートル以上という目にも止まらぬ速さで飛んでくるボールを、見事な反射神経で打ち返し、たたかうのです。

▲TT11クラスの木下佑輝選手（奥／ロンドンパラリンピックにて）。

ロンドンパラリンピックでは、卓球のほかに陸上競技、水泳でも知的障がいの選手の出場が認められたよ。

●卓球の種目

1対1でたたかう個人戦と、2～4人でチームを組んでたたかう団体戦があり、それぞれの種目はクラスごとに試合をおこないます。

個人戦	団体戦
ロンドンパラリンピックでは男子は11クラス、女子は10クラスで実施。	ロンドンパラリンピックでは男子は5クラス、女子は3クラスで実施。

●卓球のクラス分け

クラス	障がいの種類・程度	
TT1	車いす	重い ↑ 障がいの程度 ↓ 軽い
TT2		
TT3		
TT4		
TT5		
TT6	立位	重い ↑ 障がいの程度 ↓ 軽い
TT7		
TT8		
TT9		
TT10		
TT11	知的障がい	

競技場（卓球台）

台のサイズは通常のものと同じですが、車いすの選手が競技することを考慮して、脚はエンドラインから少なくとも40センチメートル離れていなければなりません。

勝敗の決め方

- パラリンピックは1試合5ゲームでおこなわれ、先に3ゲームとったほうが勝者となります。
- 団体戦では、個人でたたかうシングルを4試合、2人でたたかうダブルスを1試合おこない、先に3試合が勝ったほうが勝利チームとなります。

卓球には、ボールに回転を与えるなど戦術があり、一瞬の打ち合いのなかにひそむかけ引きが試合を左右するよ。

クラスや種目ごとに設けられている特別ルール

試合は、基本的にオリンピックの卓球と同じルールでおこなわれますが、障がいの種類や程度に応じて一部が変更されています。

例えば、車いすの選手には、サービスの方法やダブルスで競技する場合の順序などについて、独自のルールが定められています。ルール違反で反則をとられた場合は、相手に1ポイントが与えられます。

オリンピックとのちがい

	サービス	トス	ダブルス
	ラリーの1球目。相手のコートに向けて投球する。	サービスを打つためにボールを空中に投げること。	2人対2人の対戦。
オリンピック	打球したボールは、エンドラインをこえなければならないが、途中でサイドラインを通過することも認められている。	手のひらの中央にボールを置き、垂直方向に16cm以上投げ、ボールが頂点から落下する時点で打球する。	ボールを交互に打ち合わなければならない。
パラリンピック	車いすの選手による試合では、打球したボールが途中でサイドラインを通過するとやり直しとなる。	障がいにより、通常の方法でトスすることが難しい場合は、ルールがゆるめられる。例えば高さが16cmに満たなくてもOK	車いすの選手によるダブルスでは、打球の順序は必ずしも交互でなくてもよい。

Judo
柔道

みどころ！ パラリンピックの柔道は、視覚障がいの選手によっておこなわれます。選手どうしがぶつかり合い、全力で技をかけあうようすは迫力満点です。

▲ロンドンパラリンピックで金メダルを獲得した正木健人選手（青のユニフォーム）。

視覚障がいの選手が出場するパラリンピックの柔道

柔道は、1882年に嘉納治五郎という武道家によってつくられた、日本生まれのスポーツです。柔道のもととなっているのは「柔術」という武術ですが、柔術にはいくつかの流派があり、嘉納治五郎がそれらをまとめなおして「柔道」と名づけました。1964年の東京オリンピックをきっかけに海外に広まり、今では国際的なスポーツとして世界中の人びとに愛されています。

パラリンピックでは、1988年のソウルパラリンピック（第8回夏季大会）から正式競技となりました。当初は男子のみの競技でしたが、2004年のアテネパラリンピック（第12回夏季大会）からは女子の参加も認められるようになりました。

パラリンピックの柔道は、視覚障がいの選手によっておこなわれます。

多くのメダリストをうみ出している日本

　柔道の本家ともいえる日本からは、毎回、代表選手がパラリンピックに出場しています。柔道が正式競技に加わったソウルパラリンピックでは、全6階級中4階級で金メダル、2階級で銀メダルを獲得しました。続くバルセロナパラリンピック（第9回夏季大会）でも、全7階級中3階級で金メダル、のこりの4階級でも銀・銅メダルを獲得。この2大会では全階級で日本人選手がメダルを獲得するという好成績を残しました。また、近年では2012年のロンドンパラリンピック（第14回夏季大会）で、正木健人選手（男子100kg超級）が金メダルを獲得しています。

　2004年のアテネパラリンピック（第12回夏季大会）からは女子選手も出場し、毎回、入賞者を輩出しています。残念ながら、女子のメダリストはまだ誕生していませんが、男子とあわせ、今後の活躍が期待されています。

▲オリンピック、パラリンピックなどの国際大会では、選手を区別しやすくするため、白と青の柔道衣を着用する。

▼技をかけあう女子選手。白のユニフォームは52kg級に出場した半谷静香選手（ロンドンパラリンピックにて）。

急速に力をつける外国勢と若手選手の育成が課題とされる日本

　現在、日本視覚障害者柔道連盟に登録されている選手の数は約200人、そのうち、連盟が毎年開催している「全日本視覚障害者柔道大会」に参加する選手は50人程度です。

　近年、中国やロシアなどの国ぐにが急速に力をつけ、国際大会で好成績をおさめるいっぽうで、国内では選手の平均年齢が高くなり、外国のパワーに対抗できないという課題をかかえています。

　連盟では、全国各地で柔道教室を開いたり、若手の選手を発掘・育成・強化するために短期間の合宿計画を立てるなどして、競技の普及につとめています。

柔道 ルール＆服装編

● パラリンピックに参加できる障がい

肢体不自由			視覚障がい	知的障がい
車いす	立位	脳性まひ		

基本のルール

試合は体重別でおこなわれる

柔道の場合、視覚障がいの程度別ではなく、オリンピックと同じように、体重別に試合をおこないます。2012年のロンドンパラリンピック（第14回夏季大会）では、男子は7階級、女子は6階級に分かれていました。ルールも健常者の柔道とほぼ同じで、「国際柔道連盟審判規定」で定められたルールを基本としています。

しかし、視覚障がいの選手がおこなうことを考慮して、一部が変更されています。もっとも大きなちがいが、試合開始の方法です。健常者の柔道では2人の選手がはなれた状態で試合を開始しますが、視覚障がい者柔道では、最初から互いに相手のえりとそでを持ち、組み合った状態で試合をはじめるのです。

柔道の階級

ロンドンパラリンピックでは、次のような体重区分で競技がおこなわれました。

男子	女子
60 kg級	48 kg級
66 kg級	52 kg級
73 kg級	57 kg級
81 kg級	63 kg級
90 kg級	70 kg級
100 kg級	70 kg超級
100 kg超級	

試合場

試合は畳の上でおこなわれます。試合場は、「場内」と「場外」のふたつの区域に分けられていますが、視覚障がい者柔道の場合は、基本的に場内と場外を区別せずに試合をおこないます（健常者の柔道は場内で試合をおこないます）。

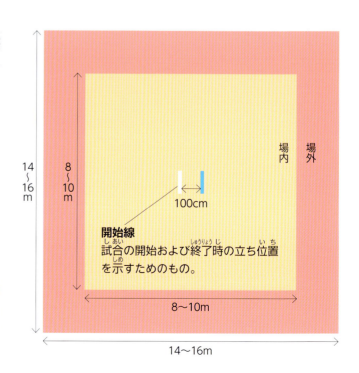

開始線
試合の開始および終了時の立ち位置を示すためのもの。

試合の進め方

- まず、副審が選手を場内の開始線に誘導します。
- 主審が「礼」を宣言し、両選手は互いに礼をします。その後、主審は選手に基本の組み方をとらせます。
- 主審の「はじめ」の合図で試合を開始します。主審は、試合を中断するときは「待て」、試合を再開するときは「はじめ」と宣言します。
- 主審の「それまで」の合図で試合を終了します。試合終了後は、ふたたび開始線の位置にもどり、互いに礼をしたのち、競技場から離れます。

▲開始線に立ち、両選手が組み合っているようす。組み合うときは、相手のえりとそでをつかむ。

競技時間

競技時間は男子が5分、女子が4分です。制限時間以内にどちらかが「一本（一定の条件を満たして技を決めている、という判定）」をとると、その選手が勝者となり試合終了となります。制限時間を経過しても勝敗がつかないときは、延長戦をおこないます。

勝敗の決め方

柔道では、技の種類や得点、審判の判定などによって勝敗が決まります。

■ **一本勝ち**
選手のどちらかが「一本」をとるか、「技あり（一本の条件が部分的にそろわない状態で技を決めている、という判定）」を2回とった時点で試合終了。

■ **優勢勝ち**
両選手が一本もとれなかった場合、制限時間内に獲得した得点が高いほうが勝者となる。

■ **判定勝ち**
延長戦でも勝負がつかなかった場合は、審判による判定によって勝者が決定する。

柔道の服装

障がいの種類や程度をあらわすマークをつける

　オリンピックと同様、厚手の木綿などでつくられた「柔道衣」を着用します。パラリンピックのような国際大会では、国際柔道連盟（IJF）の規則にしたがって、両選手はそれぞれ青と白の柔道衣を着て競技をおこないます。

　また、B1クラス※の選手および視覚・聴覚の両方に障がいのある選手は、柔道衣にマークをぬいつけることが定められています。

※視覚障がいの程度がもっとも重く、全盲あるいは光を感じることができる程度。

B1クラスの選手は、直径7cmの赤い円マークを柔道衣の両そでにぬいつける。

Archery
アーチェリー

みどころ！ ねらうのは、数十メートルも先にある小さな的。風の強さや方向を計算しながらねらいを定めるようすを、観客もかたずをのんで見守ります。

▲「コンパウンド」という弓具で競技する永野美穂選手。右手で弓を持ち、矢をつがえた弦を口で引いている。

リハビリテーションとしておこなわれていたアーチェリー

アーチェリーは、弓で矢を射て、的にあたった得点を競う競技です。人類は大昔から、狩りやたたかいの道具として弓矢を使用してきましたが、それがスポーツとして本格的におこなわれるようになったのは1600年ごろといわれています。

障がい者スポーツにアーチェリーが取り入れられるようになったのは1940年代のことです。当初は第二次世界大戦で負傷した患者のリハビリテーションとしておこなわれていましたが、その後、競技スポーツとして発展し、パラリンピックでは1960年の第1回大会から正式競技として採用されています。

射撃

ルール&用具編

●パラリンピックに参加できる障がい

肢体不自由			視覚障がい	知的障がい
車いす	立位	脳性まひ		

基本のルール

種目ごとに定められた条件にしたがって的をねらう

出場選手は、障がいの程度によって「SH1（自力で上半身を支え、銃器を保持し射撃する）」か「SH2（スタンドを用いて上半身を支えた状態で、銃器を保持し射撃する）」のいずれかのクラスに分類されます。

選手は、種目ごとに定められた銃器、射撃姿勢などの条件にしたがって的をねらい、その得点によって勝敗が決まるしくみとなっています。

射撃の的

1発の満点は10点で、満点をねらうには、的の中心にある直径わずか0.5mmのマークに命中させなければなりません。中心から離れるほど得点が低くなり、的から外れると0点になります。

射撃の用具

空気の圧力を利用して弾をうち出す

ライフル種目では「エアライフル」と「ライフル」、ピストル種目では「エアピストル」と「ピストル」を使用します。エアライフルとエアピストルは、圧縮した空気の圧力で弾をうち出すつくりとなっています。ライフルとピストルは火薬を使用した銃です。

日本でライフルやピストルを所持するには、各種競技団体に登録するなど、一定の条件を満たさなければなりません。

▶ライフル種目のようす。
▼ピストル種目のようす。

Equestrian
馬術

みどころ！ 人間と馬がいかに呼吸を合わせ、一体となって演技できるかが勝負を左右します。パラリンピックで唯一出場する動物と人間のコンビネーションがみどころです。

▲馬の動きに合わせてタイミングよく合図を出すことで、はじめて美しく、正確な演技をおこなうことができる。

選手の合図で馬が演技をする

馬術は、人間と馬が共同でおこなう競技で、人間が馬に乗り、その動きの正確さや演技の美しさなどを競います。パラリンピックでは1984年のニューヨーク・エイルズベリーパラリンピック（第7回夏季大会）ではじめておこなわれ、1996年のアトランタパラリンピック（第10回夏季大会）からは連続して正式競技に採用されています。

馬は競技のなかで、スキップをしたり軽やかにジャンプをしたりと、さまざまな動きをします。ときには音楽に合わせてステップをふむような歩き方をすることもあります。これらの動きはもちろん馬の意思ではなく、乗っている選手の合図によっておこなわれます。選手は、観客からわからないほどの小さな合図で、馬自身が自分の意思でおどっているかのように演技させるのです。

馬術

ルール＆用具編

● パラリンピックに参加できる障がい

肢体不自由			視覚障がい	知的障がい
車いす	立位	脳性まひ		

基本のルール

個人戦は5つのクラスごとにおこなわれる

パラリンピックの種目には、あらかじめ決められた規定演技をおこなう「チャンピオンシップ」と、選手が自分で選んだ楽曲に合わせて演技を組み合わせていく「フリースタイル」があります。

出場選手は、障がいの種類や程度によって右の5つのクラス（グレード）に分類され、個人戦ではグレードごとに競技をおこなうことになっています。団体戦ではグレードを問わずにチームを組み、競技をおこないます。

馬術のクラス分け

各クラスの選手は、定められた運動科目の演技をおこない、審査員の採点によって得点が与えられるしくみとなっています。

クラス	障がいの程度	おもな運動科目
グレードⅠa	重度の障がい者	常歩
グレードⅠb	重度の障がい者	常歩・速歩
グレードⅡ	やや重度の障がい者	常歩・速歩
グレードⅢ	やや軽度の障がい者	常歩・速歩・駈歩
グレードⅣ	軽度の障がい者	常歩・速歩・駈歩 二蹄跡運動※

※二蹄跡運動…馬の足を交差させながらななめに進む動き。

馬術の服装・用具

「特殊馬具」の使用が認められる

馬術競技では、選手はジャケットを着て、ヘルメット、乗馬用ブーツ、手袋などを身につけることが義務づけられています。

また、馬には鞍や手綱などの用具を装着しますが、障がいによって一般に使用されている馬具では不自由や安全性に問題がある場合は、それらを補うために改良された「特殊馬具」を使用することが認められています。

Powerlifting
パワーリフティング

みどころ！ 下半身に障がいのある選手が、上半身の力を使ってバーベルを持ち上げます。選手が自分の体重の2〜3倍もある100〜300キログラムものバーベルを持ち上げる姿は迫力満点です。

▲ロンドンパラリンピックには3人の男子選手が出場。写真は大堂秀樹選手で、6位入賞を果たした。

下半身に障がいのある選手が「ベンチプレス」を競技する

　パワーリフティングとは、バーベル（おもりのついた棒）を持ち上げ、その重量の記録を競うスポーツです。パラリンピックでは、1964年の東京パラリンピック（第2回夏季大会）から正式競技として採用されています。

　パワーリフティングには、あおむけに寝て上半身の力でバーベルを持ち上げる「ベンチプレス」、バーベルを首のうしろで支えてしゃがんだ状態から立ち上がる「スクワット」、床に置いたバーベルを足と背中がのびきる（直立姿勢）まで引く「デッドリフト」があります。そのうち、パラリンピックでは、ベンチプレスがおこなわれます。

　現在、パラリンピックに出場できるのは、下肢（下半身）に障がいのある選手に限られています。

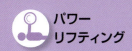

パワーリフティング

ルール編

● パラリンピックに参加できる障がい

肢体不自由			視覚障がい	知的障がい
車いす	立位	脳性まひ		

基本のルール

公平に競うためのくふう

パワーリフティングでは、障がいの種類や程度によるクラス分けはなく、試合は体重別におこなわれます。ただし、切断の選手はその分体重が軽くなるため、切断の範囲に応じて、自分の体重に一定の重量が加算されます。

こうすることで、「公平に競う」条件が整えられているのです。

パワーリフティングの階級

ロンドンパラリンピック以降、体重区分が変更され、2013年1月1日以降は、次のように分けられています。

男子		女子	
49kg級	80kg級	41kg級	67kg級
54kg級	88kg級	45kg級	73kg級
59kg級	97kg級	50kg級	79kg級
65kg級	107kg級	55kg級	86kg級
72kg級	107kg超級	61kg級	86kg超級

競技場（ベンチプレス台）

健常者がベンチプレスをおこなう台と基本的なつくりはほぼ同じですが、台の長さは足を完全に乗せることができるように長くなり、腰を乗せる位置よりも先の部分は幅も広くなっています。

勝敗の決め方

● 選手は、まず台の上にあお向けに寝ます。

● 次に、バーベルを支えているラックという部分からバーベルをはずし、審判の合図で胸の上に下ろします。そして、このバーベルをひじがのびるまでおし上げます。これを試技といいます。

● 試技は3回おこなうことができ、3回目の試技が終わった時点で重いバーベルを持ち上げた順に順位がつきます。

バーベル / ラック

選手によっては、台と体をベルトで固定することがある。ベルトをすることで、下肢に重度の障がいのある選手でもバランスをくずさずバーベルを持ち上げることができる。

◀ベンチプレスの左右には補助員が待機している。

パラリンピック 選手ものがたり

陸上競技（走り幅跳び）
佐藤真海選手

日本人女性ではじめて義足をはいてパラリンピックに出場した佐藤選手。2020年の東京パラリンピックに向けた活動にもたずさわっています。

▼パラリンピックの舞台で走り幅跳びにいどむ佐藤選手。写真左はロンドンパラリンピック、写真右は北京パラリンピックにて。

▶ 根っからのスポーツ少女
▶ 命と同じくらい大切だった足

　佐藤選手がスポーツに出合ったのは5歳のとき。近所にできたスイミングスクールに、お兄さんと一緒に通いはじめ、小学生のときは「水泳づけ」の日々を過ごしていました。中学校では陸上部に入部し、仲間とともに練習に熱中する、根っからのスポーツ少女だったのです。

　大学ではあこがれのチアリーディングをはじめ、チームメイトとともに楽しい大学生活を送っていました。ところが2年生の夏の終わりごろ、練習中に右足首が痛みはじめたのです。痛みはだんだんと強くなっていきましたが、秋には大きなステージがあったため、チームメイトに迷惑をかけまいと、がまんをして練習を続けました。

　本番を終え、ようやく病院に行った佐藤選手は、「骨肉腫」という病気にかかっていること、治療がうまくいっても右足のひざ下を切断しなければならないことを、医師から告げられました。ショックで、声も出ない佐藤選手にかわって、となりにいたお母さんが言いました。

　「スポーツをしてきたこの子にとって、足は命と同じくらい大切なものなんです」

　すると医師は、今は義足の技術が進歩して、

不自由なく生活することができるし、スポーツもできるようになる、と話しました。
「また、スポーツができる」。佐藤選手は、その言葉をはげみに病気とたたかいました。

スポーツの存在が「自分らしさ」を取りもどしてくれた

手術から2か月後、佐藤選手は義足で歩く練習をはじめました。大学にもどることができましたが、義足でふらふら歩き、薬の副作用で髪がぬけてかつらをかぶる自分を、みじめに思うこともありました。そのとき思い出したのが「スポーツもまたできるようになる」という、医師の言葉でした。

佐藤選手は、東京都障害者総合スポーツセンターというスポーツ施設に行き、プールで泳いでみることにしました。バランスはよくないものの、泳ぐことができます。

「わたし、泳いでいる！またスポーツができるんだ！」

子どものときに身につけた泳ぎを体が覚えていて、「自分らしさ」を取りもどせたような気がしました。

それからしばらくして、佐藤選手に運命の出会いがおとずれます。義肢装具士の臼井二美男さん（41ページ参照）から、義足のランナーによる陸上競技練習会の見学にさそわれたのです。見学に行ってみると、その場で「走ってごらん」と言われ、おそるおそる義足に体重をのせて両足を動かしてみました。「走る」というよりは「歩く」感覚に近かったけれど、地面を一歩ふみしめるごとに、風を感じることができました。

「もう一生、走ることができなくなるかもしれない、という覚悟で足の手術にのぞんだので、再び自分の足で走ることができたことが本当にうれしかったです」

それからというもの、スポーツに対する意欲がどんどんわき、すぐに臼井さんに競技用の義足をつくってもらいました。そして、わずか1か月後には陸上の大会に出場。練習期間がじゅうぶんとれなかったにもかかわらず、走り幅跳びと100メートル走で大会新記録をたたき出しました。

「もっと速く走りたい」「もっと遠くへとびたい」。そんな思いが佐藤選手の心に芽生え、陸上競技を本格的にはじめることになりました。

ロングジャンパーへの道

2004年、走り幅跳びを専門種目として選んだ佐藤選手は、コーチのすすめで、アテネパラリンピック（第12回夏季大会）の最終選考会に出場し、みごとに出場権を獲得しました。日本のパラリンピック史上、女子選手が義足をはいて走る競技に出場するのははじめてのことです。佐藤選手にとって、初の国際大会がアテネパラリンピックという、大舞台となりました。

本番では、3メートル95センチをとび、おしくも決勝に進むことはできませんでしたが、自己記録のベストを更新しました。

アテネから帰ると、次の北京パラリンピック（第13回夏季大会）を見すえ、一から技術を見直しました。記録が思うようにのびず、スランプにおちいった時期もありましたが、「競技生活を支えてくれる人たちのためにも結果を出さなくては」と前向きな気持ちで練習にいどみました。こうした地道な努力の結果、最終選考会では、4メートル46センチの記録を出すことができました。

しかし、不運にもパラリンピック本番では強い腰の痛みにおそわれるというアクシデントに

▲常に自己ベストの更新を目標とし、練習を重ねている。

見まわれました。観客の声援におされ、なんとかとぶことができましたが、記録は４メートル28センチで６位と、くやしい結果に終わりました。

「アテネよりも記録をのばし順位もあげられましたが、自己ベストに遠くおよばず、自分としてはほろ苦い思い出となりました。けれども同時に、目指す道も本番も険しいものだからこそパラリンピックには価値があるんだ、ということを実感できた大会でもありました」

記録更新にいどみ続ける

次のロンドンパラリンピック（第14回夏季大会）で、さらに記録をのばすために、佐藤選手はふみきりの足を左足から義足の右足にかえることを決断しました。世界の強豪選手たちはみな、義足でふみ切っています。かたい競技用義足のほうが、バネの働きもあり、力強くふみ切れるのではないかと思ったのです。それまでの慣れたとび方を変えるということは、勇気のいる決断でしたが、佐藤選手は、義足ふみきりの練習をはじめました。

「やればできる！」と信じ、練習を続けた３年後、記録がのびはじめました。こうしてむかえたロンドンパラリンピックでは、自己新記録の４メートル70センチをとんだのです。佐藤選手は、その後も記録をのばし、2013年には、５メートル２センチという日本記録（当時）を樹立しています。

東京でパラリンピックを

ロンドンパラリンピックを目指すあいだ、佐藤選手は大学院にも通い、障がい者スポーツの研究にも取り組んでいました。自分がパラリンピックによってどん底から救われた経験から、将来は、だれもがスポーツを通して夢をえがける環境をつくっていきたいと考えています。

「病気になり、未来を想像できないほど絶望したこともありました。けれども、スポーツを再開したことで、私らしい人生を切りひらいていこうと、気持ちを切りかえることができました。今の私は、夢を追い、未来に向かって前向きに生きていく気持ちであふれています。つらい思い出を言い訳にしない生き方をつらぬいて、胸を張って生きていこう。スポーツの力が私を変えてくれたんです」

2020年、東京でオリンピック・パラリンピックが開催されます。佐藤選手は、パラリンピアン代表として、東京オリンピック・パラリンピックを実現する活動にもたずさわりました。自分を信じれば、可能性はいくらでも広げられる。だから、これからもチャレンジし続けます。

●プロフィール

佐藤真海
さとう　まみ

1982年生まれ。宮城県気仙沼市出身。20歳のときに骨肉腫のため、右足下を切断。義足の生活になる。アテネ、北京、ロンドンと３つのパラリンピックに出場。

パラリンピックを支える人のものがたり

義肢装具士
臼井二美男さん
[鉄道弘済会 義肢装具サポートセンター]

失った機能を回復させ、新しい可能性を追い求める選手のために、共に進化を目指します。

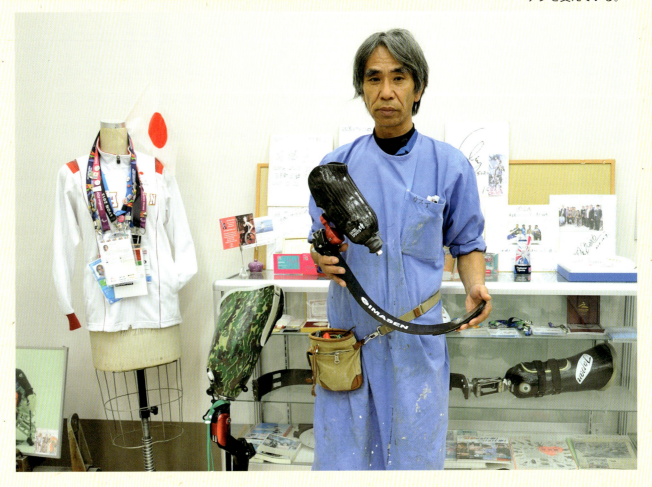

▶ 28歳で「義肢装具士」という仕事に出合った臼井さん。今では多くのパラリンピアンを支えている。

手足を失った人のためのたったひとつのものづくり

　東京にある義肢装具サポートセンターで働く臼井二美男さんは、30年以上の経験を持つベテランの義肢装具士です。義肢装具士は、ケガや病気で手足を失ったり、体の機能に障がいがある人たちのために、義足や義手、装具などをつくるのが仕事です。

　「人の体がそれぞれちがうように、義足や義手もどれひとつとして同じものはありません。その人の手足にかわるものとして、少しでも違和感なく装着してもらえる義肢をつくることが求められているのです」

　義足をつけて車いすだった人が歩けるようになったり、足を切断した人が再び走れるようになり、笑顔や元気を取りもどした姿を見ることは、この仕事をしていてよかったとやりがいを感じる瞬間です。

義足をつけて走ることができるんだ

　近年のパラリンピックでは、陸上競技などで、競技用の義足を装着した選手が、スピードにのって競技する姿を見ることが一般的になりました。しかし、以前はそうではなかったのです。足を切断した選手は、走ることさえ難しいと考えられていました。

　臼井さんが競技用の義足に興味をもったのは、1989年のことでした。オーストラリアの学会に出席したときに、義足を着用して走る陸上競技の選手に出会ったからです。臼井さんは、その選手の姿を見てとても驚きました。自分が義足をつくっている患者さんの中に、走れる人は一人もいなかったからです。

　日本にもどった臼井さんは、さっそく海外の競技用義足を取り寄せて、患者さんに装着してもらいました。最初は廊下で一歩ずつ、それからじょじょにリズムをつけて、とうとう一人で走れるようになったのです。

　その後、義足をつけて走りたいという人たちを集めた陸上のクラブチーム「ヘルスエンジェルス」をつくり、みんなで練習をするようになりました。

クラブチームではじめてのパラリンピアンが誕生

　臼井さんは障がいのある人も積極的にスポーツを楽しんでほしいと、競技用義足の開発に力を注ぎ、また選手たちと一緒にトレーニングに取り組みました。

　日本では、1990年代まで競技用の義足がほとんど普及していなかったことから、それまでパラリンピックの陸上競技に出場するのは、車いすの選手に限られていました。

　そんなとき、臼井さんはクラブチームで一人の少年に出会いました。高校時代にハンドボールの全国大会で活躍し、その後の事故で右足を切断した鈴木徹選手です。鈴木選手はその身体能力の高さから、走り高跳びで当時の日本記録をこえる跳躍をみせ、日本人初の義足パラリンピアンとして、シドニーパラリンピック（第11回夏季大会）に出場することになりました。

　まだ19歳だった鈴木選手と共に、臼井さんもはじめてパラリンピックの会場に足を運びました。陸上競技は大きな会場でおこなわれます。多くの観客が集まる中で、世界トップレベルの選手たちが記録を競い合う姿は、国内の大会とは雰囲気や迫力がまったくことなるものでした。

　臼井さんは義足の調整から体や心まで細やかなケアをして、鈴木選手はみごと6位入賞を果たしました。

世界でもトップレベルの競技用義足で選手を支える

　その後、ヘルスエンジェルスからは、佐藤真海選手（走り幅跳び）、中西麻耶選手（走り幅跳び・短距離）、藤田征樹選手（自転車）など、多くのメンバーがパラリンピックに出場し、活躍するようになりました。

▼新しい義足をつくるだけでなく、修理や調整などもおこなう。

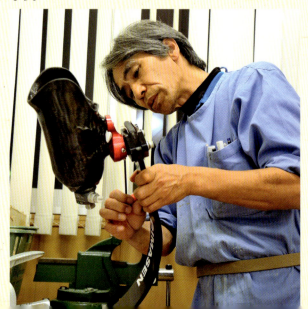

▲臼井さんのつくった義足を着用し、走り高跳びにいどむ鈴木徹選手。

臼井さんもシドニーに続き、アテネパラリンピック（第12回夏季大会）、北京パラリンピック（第13回夏季大会）、ロンドンパラリンピック（第14回夏季大会）にも、日本代表選手団の義肢メカニックとして帯同しました。

競技用の義足は年々進化をとげているので、パラリンピックは新しい義足の技術や知識を吸収するとても大切な場でもあります。

「パラリンピックでは、選手たちの活躍を支えるとともに、世界のさまざまな義足を見ることができるのがとても楽しみです」

特に2008年の北京パラリンピック以降、競技レベルが上がり、軽くて強い素材を使った優れた性能の競技用義足が次つぎと出てきています。そのなかでも臼井さんがつくる義足は世界の選手たちからも注目されるほど品質も高く、日本人選手の活躍を支えています。

多くのパラリンピアンを支えてきた臼井さんですが、今いちばん望んでいることは、だれもがスポーツを積極的に楽しめる環境をつくっていくことです。

「障がいがあると、人は外出したり、人と関わることに消極的になってしまうことが多いのです。でもスポーツをすると自分に自信が出てきて積極的になる。心も体も強くなる。その効果が何よりも大きいのです」

想像する心をもてば思いやる気持ちが芽生える

臼井さんがこの仕事をするうえで大切にしているのは、想像力を豊かにすることです。

例えば「トライアスロン」という競技では、スイム（水泳）、バイク（自転車）、ラン（長距離走）の3競技を続けておこないますが、次の競技に移るときに義足はどうすればつけやすいのか、そのためにはどんなくふうが必要かなど、いつも使う人の立場で想像することを心がけています。これは、これからの社会を支える子どもたちにも大切にしてほしい心でもあります。

「健常者の人は、障がい者の人とどう接していいかわからない、と思うかもしれませんが、そんなときはぜひ想像してあげてください。足が不自由だと段差があると大変だな、階段を登るのが大変だな、その大変さを想像してあげることで、自然と思いやりが出てくるのです。想像する心を持って、だれもがくらしやすい社会をみんなでつくっていけることをねがっています」

● プロフィール

臼井二美男
うすい　ふみお

1955年、群馬県生まれ。28歳で鉄道弘済会義肢装具サポートセンターに就職。30代から競技用義足の研究に取り組み、切断者を中心とした陸上クラブチームをつくる。日本選手団の義肢メカニックとしてシドニーから4回のパラリンピックに帯同。

さくいん

『まるわかり！パラリンピック　限界をこえる！　夏の競技③』に出てくる、おもな用語をまとめました。見開きの左右両方に出てくる用語は、左のページ数のみ記載しています。

●大会名さくいん

あ

アテネパラリンピック（2004年／第12回夏季大会）
…………………………………… 19, 22, 41, 45

アトランタパラリンピック
（1996年／第10回夏季大会）…………………… 36

さ

シドニーパラリンピック
（2000年／第11回夏季大会）…………………… 44

ソウルパラリンピック
（1988年／第8回夏季大会）…………………… 22

た

東京パラリンピック
（1964年／第2回夏季大会）…………………… 27

東京パラリンピック
（2020年／第16回夏季大会）…………………… 40

トロントパラリンピック
（1976年／第5回夏季大会）…………………… 34

な・は

ニューヨーク・エイルズベリーパラリンピック
（1984年／第7回夏季大会）……………… 30, 36

バルセロナパラリンピック
（1992年／第9回夏季大会）…………………… 23

北京パラリンピック
（2008年／第13回夏季大会）………… 13, 41, 45

ら

ローマパラリンピック（1960年／第1回夏季大会）
…………………………………………… 12, 19, 26

ロンドンパラリンピック
（2012年／第14回夏季大会）
………………………… 12, 14, 19, 20, 23, 24, 27, 42, 45

●項目さくいん

あ

アーチェリー………………………………… 5, 26
安島裕……………………………………… 5, 26
一本勝ち……………………………………… 25
伊藤智也……………………………………… 13
臼井二美男………………………………… 41, 43
円盤投げ（陸上競技）……………………… 14

か

ガイドランナー…………………………… 15, 16, 18
嘉納治五郎…………………………………… 22
義肢装具士…………………………………… 43
義手………………………………… 13, 17, 18, 43
義足………………………………………… 17, 40, 43
木下佑樹……………………………………… 20
クラス分け………… 14, 20, 28, 31, 35, 37
ゴーグル……………………………………… 16
コーラー……………………………………… 16
国際柔道連盟審判規定……………………… 24
コンパウンド（アーチェリー）…………… 26, 28

こん棒投げ（陸上競技）……………… 14

さ

サービス……………………………… 21
佐藤真海………………………… 40, 44
三段跳び（陸上競技）…………… 14, 16
ジェイソン・スミス………………… 13
射撃………………………………… 6, 34
ジャックボール……………………… 32
柔道………………………………… 4, 22
柔道衣…………………………… 23, 25
柔術………………………………… 22
鈴木徹…………………………… 13、44
スローイングボックス……………… 32

た

卓球………………………………… 4, 19
チャンピオンシップ（馬術）……… 37
特殊馬具…………………………… 37
トス………………………………… 21
トライアスロン……………………… 45
トラック（陸上競技）………… 12, 14, 16

な・は

中西麻耶…………………………… 44
永野美穂…………………………… 26
バーベル…………………………… 38
馬術……………………………… 7, 36
走り高跳び（陸上競技）…… 13, 14, 16
走り幅跳び（陸上競技）……… 14, 16

パワーリフティング……………… 7, 38
半谷静香…………………………… 23
判定勝ち…………………………… 25
ピストル…………………………… 34
フィールド（陸上競技）……… 12, 14
藤田征樹…………………………… 44
フリースタイル（馬術）………… 37
別所キミヱ………………………… 19
ヘルスエンジェルス……………… 44
ベンチプレス……………………… 38
砲丸投げ（陸上競技）…… 13, 14, 17
ボッチャ………………………… 6, 30

ま・や

正木健人…………………………… 22
マット・スタッツマン……………… 27
マラソン……………………… 12, 14, 16
やり投げ（陸上競技）…………… 14
優勢勝ち…………………………… 25

ら

ライフル…………………………… 34
ランキングラウンド……………… 28
ランプ………………………… 31, 33
リカーブ（アーチェリー）…… 27, 28
陸上競技……………………… 3, 12, 40
リレー…………………………… 14, 18
レーサー…………………………… 17
ロード（陸上競技）…………… 12, 14

- 監修

  公益財団法人 日本障がい者スポーツ協会

  パラリンピック東京大会を契機に、国内の身体障がい者スポーツの普及、振興をはかる統括組織として「財団法人日本身体障害者スポーツ協会」の名称で、昭和40年に設立。平成11年、三障がいすべてのスポーツ振興を統括し、選手の育成、強化をになう統括組織として「財団法人日本障害者スポーツ協会」に組織名を改称するとともに、協会内部に日本パラリンピック委員会を創設。平成23年に内閣府認定のもと公益財団法人として設立登記。名称を「公益財団法人日本障がい者スポーツ協会」に改称する。

- 装丁・デザイン　鷹觜麻衣子
- ＤＴＰ　　　　　スタジオ ポルト
- イラスト　　　　坂川由美香　高山千草
- 執筆協力　　　　山内ススム　野口和恵　桑名妙子
- 校正　　　　　　小石史子
- 編集制作　　　　株式会社童夢

- 写真提供・撮影

  有限会社エックスワン
  株式会社オーエックスエンジニアリング
  渋谷アーチェリー
  日本ボッチャ協会
  特定非営利活動法人日本パラ・パワーリフティング連盟
  サントリーホールディングス株式会社

- 取材協力

  佐藤真海
  サントリーホールディングス株式会社

  臼井二美男

  日本パラリンピック委員会加盟競技団体

まるわかり！ パラリンピック

限界をこえる！ 夏の競技③
―陸上競技・ボッチャ ほか―

NDC780　48P　28.6 × 21.7㎝

2015年 1 月25日　第1刷発行
2022年 4 月30日　第5刷発行

- 監修　　　公益財団法人　日本障がい者スポーツ協会
- 発行者　　佐藤諭史
- 発行所　　文研出版
  〒113-0023　東京都文京区向丘2丁目3番10号　児童書お問い合わせ（03）3814-5187
  〒543-0052　大阪市天王寺区大道4丁目3番25号　代表（06）6779-1531
  https://www.shinko-keirin.co.jp/
- 印刷・製本　株式会社太洋社

© 2015 BUNKEN SHUPPAN Printed in Japan　ISBN978-4-580-82252-8 C8375
本書のコピー、スキャン、デジタル化等の無断複製は著作権法上での例外を除き禁じられています。本書を代行業者等の第三者に依頼してスキャンやデジタル化することは、たとえ個人や家庭内の利用であっても著作権法上認められておりません。
乱丁・落丁本はお取り替えいたします。

まるわかり！パラリンピック ●全5巻●

パラリンピックってなんだろう？

スピード勝負！　夏の競技①
車椅子バスケットボール・水泳　ほか

チームでたたかう！　夏の競技②
サッカー・ゴールボール　ほか

限界をこえる！　夏の競技③
陸上競技・ボッチャ　ほか

雪・氷のうえで競う！　冬の競技
アルペンスキー・アイススレッジホッケー　ほか

全巻セット定価：本体14,000円（税別）
ISBN978-4-580-88479-3